raisons d'être
parent

D1270115

De la même collection :

Graphisme : Marie-Claude Parenteau
Correction : Magali Bourquin
Photographie de la couverture : Shutterstock

© Sophie Bérubé, Les Éditions Goélette, 2010

Dépôt légal : 2ᵉ trimestre 2010
Bibliothèque et Archives nationales du Québec
Bibliothèque nationale du Canada

Les Éditions Goélette bénéficient du soutien financier de la SODEC
pour son programme d'aide à l'édition et à la promotion.

Nous remercions le gouvernement du Québec de l'aide financière
accordée par l'entremise du Programme de crédit d'impôt pour l'édition
de livres, administré par la SODEC.

Imprimé au Canada

ISBN : 978-2-89638-733-5

# 365

raisons d'être
parent

Sophie B.

Les Éditions
Goélette

**365 raisons d'être parent**

À tous les **parents**
qui m'ont inspirée.

À ma **fille**, ma plus
belle **inspiration**.

Sophie B.

L'amour inconditionnel,

le vrai.

Se pratiquer à
**CONCEVOIR.**

**3** Vivre la folle quête
du *partenaire.*

Repeupler le
QUÉBEC. **4**

Avoir enfin une vraie
raison de se **marier**.

Former une **FAMILLE**
à plus que deux.

Une bonne occasion de devenir
ADULTE.

Pouvoir retourner en **enfance** pour jouer avec son enfant.

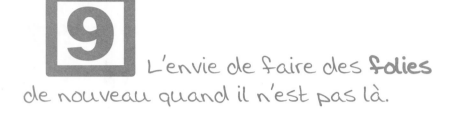 L'envie de faire des **folies** de nouveau quand il n'est pas là.

Affronter l'**imprévisible**.

Les **HISTOIRES** qu'on lui raconte avant qu'il vienne au monde.

Le **congé parental** octroyé par le gouvernement.

Perdre de l'intérêt pour les **CHOSES FUTILES**.

**15 | 14** oublier ses ex.

La **sécurité** d'une vraie relation durable.

# 16

Avoir un **fils**.

Avoir une **fille**.

 La certitude d'avoir connu « **L'AMOUR DE SA VIE** ».

Pouvoir dire à quelqu'un « **JE T'AIMERAI TOUJOURS** », sans mentir.

Acheter 50 livres sur la **MATERNITÉ** et n'en lire aucun.

**2 0**

Avoir une
vraie raison
pour faire
**plus d'argent.**

Avoir une
vraie raison
pour faire
**moins d'argent.**

**2 1**

Les **MINIPYJAMAS** à l'effigie
de ses équipes sportives préférés.

Lui faire porter un
**T-SHIRT** affirmant :

Je ne
pleure qu'en
présence de
personnes
LAIDES!

2 2

2 3

Profiter d'une paire de seins
qui fait **rêver**.

**2** **4**

Développer des
**HANCHES** sexy.

Écouter, sans feindre l'intérêt,
le récit de l'**accouchement**
de ses amies.

Enrichir son vocabulaire de
mots comme « DOULA »
et « ÉPIDURALE ».

**28**

Relever le défi de transformer une contraction en « DOUCE VAGUE NATURELLE ».

**29**

Avoir une méchante bonne raison d'apprendre les techniques d'AUTOHYPNOSE.

**3 0**

Lui confectionner
un **nid** douillet.

  **3** **1**

Choisir le thème de la
**tapisserie**
dans sa chambre.

Se savoir **FERTILE**.

Les hormones de « **BONHEUR** ».

Faire l'amour en cuillère
pendant le **DERNIER TRIMESTRE**.

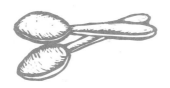 

Apprendre à se **soucier**  de son apport en acide folique.

Associer la **DÉLINQUANCE** à un seul verre de vin.

L'**adrénaline** devant un fromage au lait cru.

Boum boum boum boum boum boum boum boum

Pleurer de joie en écoutant son **cœur** battre pour la première fois.

**38**

Être ému chaque fois que l'on arrive à distinguer ses membres pendant l'**ÉCHOGRAPHIE**.

**39**

Faire le saut quand on reconnaît ses **petits coups**.

**40**

Se (faire) flatter la **bedaine** amoureusement.

Se sortir le **ventre** pour la pose photo plutôt que le rentrer.

Laisser le **MASSAGE** devenir un service essentiel dans son budget.

Profiter des places de stationnement réservées aux **FEMMES ENCEINTES**, même si on est le papa.

S'amuser avec la liste de tous les **prénoms** et avec leur signification.

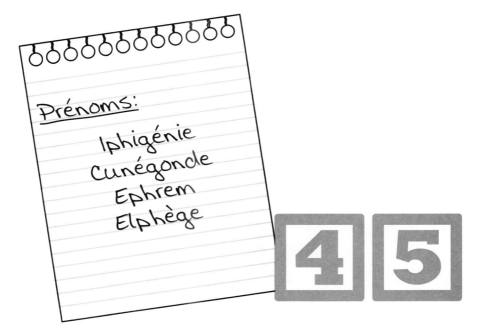

Prénoms:

Iphigénie
Cunégonde
Ephrem
Elphège

45

Retrouver son instinct **ANIMAL**.

Pour une fois,
laisser faire la **NATURE**.

L'expérience **unique**
de chaque naissance.

Plus de **câlins** et plus de **becs,** tous les jours.

4 9

**50**

Vivre le grand
coup de **FOUDRE**.

Un coup de
**FOUDRE** qui
ne faiblit jamais.

**52** Les **montagnes** russes sans les files d'attente.

Avoir soudainement envie  d'un **monde** meilleur.

**53**

 **54** La **foi** en l'humanité.

Comprendre différemment le mot « FAMILLE ».

Ne jamais regretter sa venue au MONDE.

Penser à sa famille sans rouler les YEUX.

Sa petite MAIN enroulée autour d'un doigt.

Être spectateur
d'un **miracle** perpétuel.

Le **RÉCONFORT** caché dans
chacun de ses petits rots.

 Burrrrrrrrrrrp !

Le meilleur
**rappel à l'ordre** qui
puisse exister.

**62**

Ne plus avoir besoin
de **RÉVEILLE-MATIN**.

**63**

*Mamaaaaaaaan!*

Ne jamais se lasser
d'entendre le mot « **MAMAN** ».

*Papaaaaaaaaa!*

**64**

Sourire en entendant
le mot « **PAPA** ».

Toute la beauté contenue
dans le verbe « **BABILLER** ».

Se donner
pour **mission**
de le faire rire.

Ne plus être dégoûté
par le **BAISER** d'une
bouche baveuse.

**6 8** Développer un **œil** de lynx pour repérer toute rougeur suspecte ou bouton anormal.

**6 9** **Parler** de lui pendant des heures sans se fatiguer, au grand dam de ses interlocuteurs. bla bla bla...

**7 0** Se considérer **chanceux** de pouvoir prendre une douche sans être interrompu.

BLA BLA BLA ... bla bla bla ... BLA BLA BLA ... bla bla bla ...

Avoir le droit de réclamer
de nouveau de la SAUCE
à spaghetti
à sa mère.

Réussir l'exploit de faire une
meilleure sauce à SPAGHETTI
que sa mère.

**73** Porter ses **kilos** en trop et ses vergetures avec fierté.

**74** S'émouvoir devant le **COURAGE** des concurrents de l'émission *Qui perd gagne*.

**Détester** et **envier** secrètement les mamans qui font du cardio-poussette. **75**

**76**

Pendant les six premiers mois de sa vie, ne jamais manquer de « **LAIT** » à la maison.

Le **présenter** à ses grands-parents pour la première fois.

**77**

**78** Être folle d'**AMOUR** malgré les mamelons en sang, les cheveux gluants et le périnée en compote.

**79** Remettre à plus tard la vaisselle sans se sentir **COUPABLE**.

Se découvrir des recoins de **PATIENCE** insoupçonnés. **80**

**8 1** Acheter (encore) un **toutou** sans se trouver quétaine.

Avoir le droit de craquer pour une **doudou** au magasin. **8 2**

**8 3** S'émouvoir deux ans plus tard devant la même doudou toute **usée**.

Aller **magasiner** pour soi et revenir avec plein de choses pour lui. **8 4**

Transformer le  lit conjugal en lit *familial*.

**8 6** Vivre à son RYTHME.

Faire le plein d'**énergie** en le prenant dans ses bras.

**8 7**

Son haleine de bébé **ALLAITÉ**.

 Payer moins d'impôts en investissant

dans un *Régime Épargne Études*.

Recevoir les **PRESTATIONS**

du gouvernement pour bébé.

**RIRE** aux larmes devant un gros dégât.

Les **nuits** blanches comme symboles de résistance plutôt que de débauche.

Développer son endurance aux **CRIS** mêlés de larmes.

**94** Se rendre compte de tout ce qu'on a fait **endurer** à ses parents.

**95** Réaliser avec **émotion** à quel point nos parents nous ont aimés.

**96** Éviter de faire les mêmes **erreurs** que ses parents.

**97** Réaliser qu'on agit de la même façon que ses **parents**.

## 98
Appeler sa mère
« **GRAND-MAMAN** »
plutôt que « maman ».

## 99
Le **cœur** ramolli.

## 100
Devenir une machine
à **DÉCODER** les pleurs.

Mouhaahaa ! Mouaaaaaah ! Mmmmeumeumuuuuuuaaaaah !

mouaaaaaaah ! meumuuuuaaaaa !

**101** Les **berceuses** dans le noir.

**102** Lui inventer une berceuse personnalisée sur l'air de sa **chanson** préférée.

Se découvrir la capacité de penser à quelqu'un d'autre 189 993 487 299 933 fois par jour tout en poursuivant ses activités. **103**

Se faire **surprendre** continuellement. **104**

**COMPRENDRE** qu'on ne sera jamais parfait.

L'odeur des shampoings qui ne font pas **PLEURER**.

Les rares siestes qui s'étirent tellement, qu'on a **HÂTE** à son réveil.

Une source intarissable de **BONHEUR**.

L'affubler
d'une suce
**comique.**

Acheter
vingt suces
**identiques**
et les
parsemer
dans la
maison.

**Repérer**
une suce
perdue à
la vitesse
de l'éclair.

**112** Concentrer sa vie de couple à l'heure de la **SIESTE**.

Comprendre enfin ce que signifie **MILF**.
(Mother I'd Like to F\*\*\*) **113**

Des **ORGASMES** à la fois plus forts et plus silencieux.
**114**

Le mot « **DADDY** » n'aura jamais été aussi sexy et aussi vrai. **115**

Devenir le meilleur **INTERPRÈTE** du cri de chaque animal. **116**

*Hihan! Ouh ouh! Coin coin! Cocorico! Meuh! Rrrrrrr! Hihan! Ouh ouh! Coin coin!*

Choisir sa **VOITURE** pour la taille de son habitacle plutôt que pour la puissance de son moteur. **117**

S'habituer à mettre les plans aux **POUBELLES**.

Être **HEUREUX** pour un beau caca et trouver cela légitime.

Déléguer la tâche des **COUCHES** à un non-initié et regarder comment il se débrouille.

 Partager ses histoires de guerre avec les autres **PARENTS**.

 Préférer une **POUSSETTE** de luxe à n'importe quel sac Louis Vuitton.

 Les discussions au **PARC** ou dans la halte d'allaitement.

Devenir plus **matinal**.

| 1 | 2 | 4 |

Se **coucher** à
9 heures le soir.

| 1 | 2 | 5 |

Comprendre vraiment ce que
« **FORCE INTÉRIEURE** »
veut dire.

Échanger un regard complice
avec un parent aux prises avec
un **BÉBÉ** en pleurs.

La fierté d'avoir évité
une **CRISE** imminente dans
une allée de supermarché.

LÂCHER PRISE.

129
130

Ne plus posséder.
Tout **PARTAGER.**

**131** Cesser d'appeler son chien « **BÉBÉ** ».

**132** Sauter au plafond quand une place en **GARDERIE** se libère pour lui.

Voir son petit **VISAGE** s'éclairer  en nous voyant arriver à la garderie.

Capter toute son
attention avec
seulement des « **ooooh!** »
et des « **aaaaaah** ».

**134**

**135**

Compléter son répertoire
d'**ONOMATOPÉES**.

*Gaga! Gougou! Piouuuuu! Gaga! Gougou! Piouuuuu! Gaga! Gougou! Piouuuuu! Gaga! Gougou!*

**136** Oublier pendant des
journées entières le
**LANGAGE** des adultes.

Avoir une version en **137**
mini de l'**amour** de sa vie.

Se retrouver devant **138**
le **miroir** de nos défauts.

Se **reconnaître** dans **139**
les traits de son visage.

Épargner en délaissant les **restos**
pour cuisiner à la maison.

Relever le défi de garder
son COUPLE UNI.

Oublier la **rancune**.

Perdre ses **REPÈRES**.

Cesser de se **croire** invincible.

Avoir **PEUR** pour quelqu'un
d'autre que soi.

Entendre sa **respiration**.

Peindre des **147**
**OISEAUX** sur les murs.

**148** Accrocher des
**ÉTOILES** au plafond.

Rester **ZEN** devant ses dessins
à l'encre indélébile sur les murs
de sa chambre. **149**

**150**

Les **pots** de bébé.

Mmmm! Fraise ... Banane ... Pomme ... Poire ... Banane ... Mmmm! Pomme ... Fraise ...

**151**

Devenir son **photographe** officiel attitré.

**152**

Recommencer à faire développer ses **photos**.

# 153

Prendre son bain avec
un **canard** en plastique.

Apprécier le **silence** quand il passe.

Considérer la **gym** ou le **yoga** comme un plaisir coupable.

 Ne plus voir les **sacrifices** comme des sacrifices.

Préférer **souffrir** à la place de quelqu'un d'autre.

Ne plus avoir besoin de coach de vie :
se faire apprendre la **vie** en direct à
chaque instant.

**158**

Ne plus **errer** dans la maison sans
savoir quoi faire.

**159**

Trouver un **SENS** à sa vie.

## 160

## 161

Se découvrir une force
**SURHUMAINE** quand vient le temps
de le protéger.

Savoir qui sont
nos vrais **AMIS**.

Perdre contact
avec les gens
**SUPERFLUS**.

Se sentir
**INDISPENSABLE.**

Être
**IRREMPLAÇABLE.**

Trouver qu'une **CONVERSATION** ininterrompue avec un autre adulte constitue un miracle.

Plus besoin de monter l'Everest; chaque sortie est une véritable **expédition**.

S'habituer à avoir le **CŒUR BRISÉ** chaque fois qu'il nous quitte.

Comprendre sa **169** **faiblesse** en cédant à ses caprices.

ZZZZZZZZZZZZZZZZZZZZZZZZ

Savoir d'instinct si **MORPHÉE** l'a bel **170** et bien kidnappé pour un moment.

Se **réveiller** en pleine **171** nuit en sachant qu'il a besoin de nous.

Le bonheur de trouver **LA** méthode
pour apaiser les coliques.

**172**

**173**

Interviewer des
candidates **GARDIENNES**.

Être convaincu qu'il
est un **génie**.

Faire semblant
de ne pas savoir
qu'il est un **génie**
devant les autres.

Lui transmettre la
CONFIANCE qui nous a manqué.

Le BERCER.

Chaque fois qu'une personne
s'EXTASIE devant lui.

Ressentir un trop-plein de GRATITUDE
du seul fait qu'il soit
en santé.

Trouver que ses premiers pas sont une **180** assez bonne raison pour acheter une **CAMÉRA** vidéo.

Devenir un **VIDÉASTE** professionnel. **181**

Chaque fois que tout son **BONHEUR** tourne autour d'un caillou ou d'un bouton rouge. **182**

**183** Les billets d'**avion** gratuits pendant deux ans.

**184** Le combler de joie en l'amenant faire un tour d'**autobus**.

Lui apprendre les mots « **S'IL VOUS PLAÎT** » et « **MERCI** ».

**185**

Ne pas avoir besoin de l'**ENTENDRE** nous dire merci.

**186**

L'explosion d'émotions devant son premier **gâteau** d'anniversaire.

Le regarder faire un vœu avant de souffler la **bougie**.

Sa volonté d'être **AUTONOME**.

Le bonheur de se réveiller par soi-même lorsqu'il sait allumer la télé **tout seul.**

Le jour de la graduation à la **MATERNELLE**.

**192**

Inventer des *patois* comiques.

**193**

Remplacer le traditionnel « TABARNAK ! » par un acceptable « TABARNOUCHE ».

**194**

Être capable de tout *pardonner* pour un seul regard penaud.

Décorer une
citrouille.  **195**

Construire sa première **MAISON** en
pain d'épice. **196**

Lui décrocher
la lune. **197**

Partager un **CÂLIN** tout de suite
après avoir songé à le balancer
par la fenêtre. **198**

 Comprendre vraiment ce qu'est un **bénévole**.

Le guérir en « BECQUANT BOBO ».

**201** Faire des **dessins** avec la buée sur les fenêtres ou le miroir.

Remplacer le gin tonic par des crayons à **COLORIER** dans nos demandes prioritaires au restaurant. **202**

**Réinventer** l'histoire de Noël.

**2 0 3**

Se déguiser en **Père Noël.**

**2 0 4**

Décorer le **sapin de Noël** et récupérer les morceaux de toutes les boules qu'il fait tomber.

**2 0 5**

**ÉCRIRE** au Père Noël et recevoir
une réponse.  **206**

Lorsqu'il essaie de deviner ce qui se
cache sous les **EMBALLAGES**.

**207**

Lorsqu'il s'amuse
davantage avec **208**
la boîte qu'avec le **CADEAU**.

Faire un **BONHOMME DE NEIGE**.

L'entendre rire de la **BLAGUE** du bonhomme de neige qui dit à son confrère : « Trouves-tu que ça sent la carotte ? ».

**210**

**2 1 1**

Remplacer la poussette par la **luge** les jours de tempête.

**2 1 2**

Se péter la gueule en « CRAZY CARPET ».

**2 1 3**

La première partie de **hockey**.

**2 1 4**

Le perdre dans un banc de NEIGE.

Remettre **Cuba** et la **Floride** au top de ses destinations voyage et faire passer la Jamaïque et Ibiza en dernier.

**215**

Porter un nez de **clown**.

**216**

La meilleure **thérapie** à vie.

**217**

Considérer les petites actions comme de grands **EXPLOITS**.

Séparer en étapes le processus pour attacher les LACETS.

Être témoin de son **BONHEUR** à réussir de petits exploits.

Faire des **AVIONS** en papier.

Ne plus savoir ce que
signifie une **maison** vide.

Ressentir de la compassion
en écoutant les **nouvelles.**

Lui faire une coupe **BIZARRE**.

La barbe à papa.

Le dentifrice à la gomme balloune.

Comprendre la pertinence
des **mitaines** reliées par un cordon.

**2 2 7**

Revoir encore et encore
**Passe-Partout.**

**2 2 8**

Aller au **zoo** une fois
par année.

**2 2 9**

Avoir enfin accès aux **MENUS** pour enfants.

 **2 3 0**

Choisir une école pour son programme d'activités **ARTISTIQUES**.

 **2 3 1**

Les **CONTES** d'Andersen et les **FABLES** de La Fontaine.

 **2 3 2**

Parcourir la section **ÉDUCATION** de la librairie et finir par se fier à son instinct.

Choisir des **céréales** parce qu'il y a des jeux dans la boîte.

Les **BOÎTES** à jus.

Cesser de s'en faire avec le **ménage**.

| 2 | 3 | 6 |
|---|---|---|

S'endormir en même temps
que lui sur le **DIVAN**.

| 2 | 3 | 7 |
|---|---|---|

Ses paupières lourdes lorsqu'il
tente de combattre le **sommeil**.

| 2 | 3 | 8 |
|---|---|---|

zzzzzzzzzzzzzzzzzzzz

zzzzzzzzzzzzzzzzzz

zzzzzzzzzzzzzz

**239** Patiner.

**240** Stimuler notre **créativité** et la sienne.

**241** Inventer des **histoires** rocambolesques avec des sujets simples.

Se rendre compte qu'il nous manque même pendant nos **VACANCES** d'amoureux.

Rencontrer ses amis **IMAGINAIRES**.

Inventer des **COMPTINES**.

**2 4 5**

Faire un gâteau dans
un **minifour**.

Être une
**VEDETTE**
dans sa vie.

**2 4 6**

Être son **HÉROS**.

**2 4 7**

Être un **exemple**.

| 2 | 4 | 8 |
|---|---|---|

Apprendre à dire **non**.

| 2 | 4 | 9 |
|---|---|---|

Entendre son **rire**.

| 2 | 5 | 0 |
|---|---|---|

Se sentir **valorisé** plus que
dans n'importe quel emploi.

| 2 | 5 | 1 |
|---|---|---|

Le consoler quand **252**
il prend un **BOUILLON**.

Dégoter des **253**
**flotteurs** aux motifs amusants.

Le voir **NAGER**
sans flotteurs pour
la première fois.

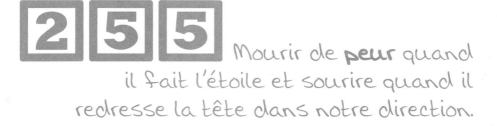 Mourir de **peur** quand il fait l'étoile et sourire quand il redresse la tête dans notre direction.

**256** Trouver que c'est le seul être au monde **MIGNON** avec un casque de bain sur la tête.

Le regarder fuir la **vague** et le consoler quand il échoue.

**258**
Construire un **château** de sable.

L'enterrer dans le **sable**.

**259**

Mener une guerre féroce contre les rayons **UV**.

**260**

Lui courir après pour lui mettre un **chapeau**.

**261**

**262**

Réussir à le convaincre que les **ANIMAUX** domestiques n'aiment pas être trimballés par la queue.

**263**

Réussir à ne pas paniquer en cas d'**INGESTION** de sable, d'insectes ou de gommes usagées.

Pleurer en **LISANT**  sa première carte de souhait.

**265** Trouver que des *dessins* d'enfants c'est beau et que ça s'accroche bien sur un mur.

**266**

Savoir enfin quoi répondre à la question « Qu'est-ce qu'il y a de plus **IMPORTANT** pour vous dans la vie ? ».

Verser une larme lors de son premier *spectacle*.

**267**

Jouer à la **FÉE DES DENTS**.

Personnifier le
**BONHOMME SEPT HEURES**.

Faire peur à tous les **MONSTRES**
qui se cachent sous son lit.

Les **grilled cheese** et le bon vieux **baloney.** **2 7 1**

Lui **flatter** le coco en regardant Toupie et Binou. **2 7 2**

**2 7 3** L'ébouriffer.

Ne pas s'étonner en **ENTENDANT** « Viens-tu m'essuyer ? » ou « Viens voir mon caca ! ».

**2 7 4**

**275**

Les **MANÈGES**
à 25 cennes au
centre d'achat.

**276**

Être prêt à se
jeter devant un
autobus pour le
**SAUVER**.

**277**

Jouer au **MAÎTRE**
de l'univers.

**278**

Avoir l'**INFINI**
à portée de main.

**279**

Se faire demander
en **MARIAGE** deux
fois par jour.

L'entendre faire « mmmmmmm »
lorsqu'on évoque le menu du soir.

Pouvoir le réprimander
s'il fait « **YARK** » quand
on évoque le même menu.

Faire un « TOUR DE MACHINE »
le dimanche après-midi.

Le **regarder** s'éloigner de nous avec
son sac à dos trop grand pour son
petit dos.

Répondre à des QUESTIONS
comme « Pourquoi le monsieur
il est gros? ».

Voir la vie à travers d'autres
**yeux** que les siens.

Réussir à lui faire croire que ranger
les **JOUETS** est un jeu.

Les jours où il veut nous **gâter**.

Voir un « DRÔLE DE VIDÉO »
en direct tous les jours.

Les petites phrases **mignonnes**
qui nous font mourir de rire.

Trouver un jouet dans notre
valise, inséré là pour nous
faire une « SURPRISE ».

Regarder le même **film** en boucle
pendant des semaines et trouver
ça bon.

**291**

Le voir SAUTILLER dans notre lit.

**292**

Faire semblant qu'on ne l'a pas vu
se faufiler sous
nos **couvertes**.

**293**

Sauter dans une **FLAQUE** d'eau.

**2 9 4**

Dessiner avec des **craies** de couleur sur le trottoir.

**2 9 5**

Le **VÉLO** à quatre roues, puis à deux roues.

**2 9 6**

Inventer une forêt magique dans son assiette pour l'inciter à manger du **brocoli**.

**2 9 7**

Lui léguer cérémonieusement sa **collection** d'étampes ou de cartes de hockey.

**2 9 8**

La meilleure **complicité**.

**2 9 9**

Faire une **TENTE** dans le salon avec des chaises, des couvertures et des coussins.

**300**

Le laisser faire du **CAMPING** dans la cour arrière.

**301**

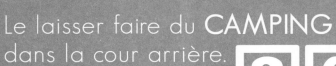

Apprendre la *guitare* avec lui.

**302**

Vider des **ŒUFS** et les teindre
de toutes les couleurs.

**303**

**304**

Cacher un lapin de
**PÂQUES** dans le jardin.

**305** Cultiver un **potager** juste pour lui.

Apprendre le nom des **FLEURS** pour **306** répondre à toutes ses questions.

**307** Lui expliquer le **pollen,** les fleurs et les abeilles.

Avoir un **poisson**

**rouge** et décorer son aquarium.

**Remplacer** le poisson rouge par
un autre sans qu'il s'en aperçoive.

La première **PLONGÉE**
en apnée avec lui.

Lui accorder une permission spéciale
pour voir le film *LES DENTS DE LA MER.*

Se rendre compte que
*LES DENTS DE LA MER* ne
lui fait pas peur.

Le voir chasser des **bêtes imaginaires**
pendant le visionnement
d'un film en 3D.

311

312

313

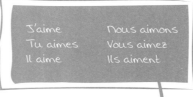

Jouer au **professeur** d'école.

Avoir une deuxième chance d'apprendre le français, en prenant au sérieux sa **grammaire**.

121 ?

144 ?

Réapprendre par cœur ce que font **12 X 11**.

**317**

Les **LEGOS** !

**318**

Les **ROULATHÈQUES**, les **ARÉNAS** et les **SALLES DE QUILLES**.

## 319

Lui faire un **feu de camp**.

## 320

Les **GUIMAUVES** enflammées.

## 321

Le surprendre à lire des **bandes dessinées** avec une lampe de poche après le couvre-feu.

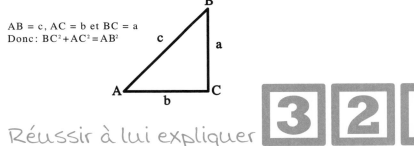

AB = c, AC = b et BC = a
Donc : $BC^2 + AC^2 = AB^2$

Réussir à lui expliquer  l'énigme du carré de l'**hypoténuse**.

3 2 2

Avoir l'occasion de rafraîchir ses notions de **couture**.

3 2 3

Le protéger de la **CRUAUTÉ**
des autres autant que possible.

Lui apprendre à se défendre
face aux gens cruels.

Prendre des cours
d'**AUTODÉFENSE** avec lui.

L'excuse parfaite pour
aller voir un **spectacle** sur glace.

Construire une **CABANE**
dans un arbre avec lui.

Réaliser un **rêve** de jeunesse.

Avoir Madame « **CHASSE-TACHE** » comme idole et toujours trimballer un détachant dans son sac à dos.

S'habituer aux taches de **GAZON** sur les genoux.

**3 3 1**

La première fois qu'il vous
bat aux **échecs**.

**3 3 2**

Devenir un **bon perdant** toutes
catégories confondues.

**3 3 3**

Être son **fan** numéro un dans toutes ses activités. 334

L'imaginer sur un podium OLYMPIQUE. 335

L'encourager à finir la **course** même s'il est dernier. 336

Reprendre la **chorégraphie** de la chanteuse en vogue dans son sous-sol.

Tous les jours où l'on est sa personne **PRÉFÉRÉE**.

Dix millions d'occasions de **rire**.

339 ha ha ha ha ha ha ha hi hi hi hi ha ha ha ha hi hi hi hi hi

L'habiller comme
on veut jusqu'à
sa **RÉVOLTE**.

ACCEPTER
sa révolte.

Un **pique-nique** au parc.

3 4 2

Devenir un expert en solutions naturelles contre le **rhume**.

3 4 3

3 4 4

Les demandes de **câlins** les jours de maladie.

**3 4 5**

Lui faire honte à l'*adolescence*.

**3 4 6**

Se coller à la fenêtre
pour le voir revenir de son
**RENDEZ-VOUS** galant.

Le trouver sain et sauf à côté de la **TOILETTE** après sa première cuite.

Faire le **taxi**.

Devoir écouter les groupes de **MUSIQUE** à la mode.

# 350

Le laisser porter nos vieux **vêtements**.

# 351

Tenir à jour ses connaissances en matière de nouvelles **technologies** grâce à lui.

**352** Voir nos **ERREURS** différemment à travers les siennes.

Développer la patience d'attendre ses **CONFIDENCES** plutôt que de les provoquer.

**353**

Souhaiter qu'il fasse un **métier** qui le rendra heureux jusqu'au jour où il vous annonce qu'il veut faire un métier de crève-faim. **3 5 4**

Lui voler des **BISOUS** jusqu'à ce qu'il ait vingt-cinq ans. **3 5 5**

Lui tenir la **MAIN** les jours de deuil.

Saisir vraiment à quel point
le **TEMPS** passe vite.

L'unique chance de devenir
**GRAND-PARENT**.

S'en servir comme
bâton de **vieillesse**.

Vouloir vivre jusqu'à **100 ANS**.

Laisser un bel **héritage**.

Devenir une
**MEILLEURE** personne.

La **vie** qui
triomphe de tout.

Vivre le
moment présent.

**3 6 5**

Et pour chaque jour qui passe,
une **RAISON** de plus...

**3 6 6**

Pour en savoir plus sur l'auteure,
écrivez à sunshinesophie@hotmail.com